이야기: 나의 장면들

정재운 송은화 최진호 민은숙 김정화 김새운 조현진 이영진 김산비 뽀뽀리

엮은이 정재운

이야기: 나의 장면들

발　행 | 2023년 12월 1일
저　자 | 정재운 송은화 최진호 민은숙 김정화 김새운 조현진 이영진 김산비 뽀뽀리
엮은이 | 정재운
펴낸이 | 한건희
펴낸곳 | 주식회사 부크크
출판사등록 | 2014.07.15.(제2014-16호)
주　소 | 서울특별시 금천구 가산디지털1로 119 SK트윈타워 A동 305호
전　화 | 1670-8316
이메일 | info@bookk.co.kr

ISBN | 979-11-410-5568-4

www.bookk.co.kr

이야기: 나의 장면들

정재운 송은화 최진호 민은숙 김정화 김새운 조현진 이영진 김산비 뽀뽀리

엮은이 정재운

BOOKK

서문

〈이야기 프로젝트〉라는 이름으로 또 하나의 기부 프로젝트를 시작하였습니다. 이번 프로젝트는 "우리의 이야기로 도움이 필요한 곳에 새로운 이야기를 선물하자!"라는 문장으로 설명이 가능하지 않을까 조심스레 생각해봅니다.

이번 이야기 프로젝트를 통해 소중한 분들의 세상과 인생을 있는 그대로 만나보고 싶었습니다. 소중한 분들의 과거로 독자 여러분과 함께 시간여행을 떠나보고 싶었습니다. 여행을 떠날 준비 되셨나요?

이야기 프로젝트를 위해 소중한 시간을 내어주신 독자 여러분들께, 부디 제 소중한 인연들의 글이 멋진 선물이 되기를 간절히 바랍니다.

2023년 12월,

엮은이 정재운

차례 _

첫 번째 작가, 정재운

Instagram: @writernreader_j

순간을 영원으로 간직하고자 글을 씁니다.

풋풋한 사랑의 기억과 일상의 기억을 영원으로 간직하고 싶었습니다. 그런 마음으로 사랑하는 사람과의 기억을 영원으로 담고자 애쓰고, 일상에서 가볍게 지나칠 수 있는 것들을 영원으로 담고자 애썼습니다. 부디 이 애씀이 누군가에게 소소한 위로와 작은 미소를 건넬 수 있기를, 그런 기적이 일어나기를 꿈꿔봅니다.

느낌 있다는 말의 느낌에 대한 느낌에 대하여

최근 나는 바쁜 일정 속에서 최선을 다해 헤엄치고 있었다. 왜 이렇게 얼굴 보기가 어렵냐는 친구의 말에 왠지 모를 죄책감을 느껴 오랜만에 친구와 시간을 갖기로 했다. 지금보다 어릴 때 뚜벅이였던 우리는 우리끼리만 알아들을 수 있는 장소에서 만남을 약속하곤 했다. 예를 들어 건널목 큰 나무 앞에서 보자는 식으로. 그러나 지금은 한 동네에 살지 않을뿐더러, 둘 다 어엿한 차주가 되어 주차가 되는 중간지점의 카페를 찾기 위해 머리를 싸매야만 했다. 평소에는 없어서는 안 될 동반자인 차가 짐짝처럼 느껴지는 이런 순간마다 나는 서울을 벗어나고 싶다는 생각을 해본다. 아무튼 쉽지 않았던 조율의 끝자락에서 친구를 만났을 때, 친구는 내게 첫마디를 던졌다.

"야, 너 엄청 느낌 있어졌다."

사실 예상했다. 최근에 내가 가장 많이 듣고 있는 말이니까.

처음으로 이 말을 듣기 시작한 것은 2023년 2월 14일이었다. 나는 2022년 2학기, 즉 나의 대학원 마지막 학기의 끝 무렵부터 너무 바빴다. 개인 일정도 바빴고 공부해야 할 것도 산더미였다. 그래서 다른 일정에까지 눈을 돌릴 겨를이 없었다. 심지어는 머리를 자르러 가는 일정에도 도저히 눈을 돌릴 틈이 없었다. 원래 3주마다 머리를 자르러 가는 나인데, 이번만큼을 규칙을 깨야 했다. 정말 너무 바빴으니까. 이때가 시기적으로 보았을 때는 종강까지 2주 정도 남은 시점이었다. 그래서 2주만 더 버텨보기로 하고 머리에 대해 신경을 끈 채, 나의 일정에 몰두하기로 했었다.

시간은 참 빨랐다. 2주의 시간은 쏜살같았고 마침내 나는 종강을 했다. 하지만 여전히 바빴다. 대학원 졸업은 오히려 나를 더 바쁘게 만들었다. 사실 대학원이라는 녀석이 졸업하는 나에게 몰래 졸업선물로 바쁨을 한

보따리 가져다 놓고 도망간 건 아닐까? 참 멋진(?) 졸업선물이다. 아무튼 나는 이런 연유로 2023년 2월 14일까지 머리를 자르지 못했다. 그리고 바로 이날은 대학원 졸업식이 있던 날이었다. 동기들은 머리가 길어져서 나타난 나를 보고 모두 같은 이야기를 했다. 못 본 사이에 엄청 느낌 있어졌다고. 이 시점부터 머리가 길긴 길었나 보다. 이때부터 소속된 모든 곳에서 머리가 길어 느낌 있다는 말을 꾸준히 듣게 된 걸 생각해 보니까.

조금은 이런 상황들이 웃겼다. 바쁜 일정 속에서 어쩔 수 없이 타협의 결과로 머리 자르는 일을 우선순위의 마지막쯤으로 미뤄놨을 뿐인데, 그 결과가 나를 느낌 있는 사람으로 만들어놓았다니. 어딘지 흡족하기도 하고, 바쁜 일정들이 끝나더라도 머리는 그냥 둘까 싶게 만들기도 하는 흥미로운 상황이었다. 시간을 쪼개어 친구와 오랜만에 만난 시점은 그때로부터 한 달하고도 보름 정도가 더 지난 때다 보니, 머리는 전보다도 더 많이 길었으리라. 느낌도 더 늘었으리라.

나에게 느낌 있어졌다고 말하는 이 친구와 즐거운 시간을 보낸 후, 우리는 별로 구체적이지 않은 다음 만남에 대한 계획을 이야기하며 각자의 삶으로 돌아갔다.

운전을 하던 나는 문득 이런 생각에 잠겨, 나 자신에게 속말을 건넸다.

'도대체 느낌 있다는 게 뭐지? 그게 무슨 느낌이지?'

나 자신에게 느낌 있다는 말의 느낌에 대한 느낌을 물은 것이다. 생각해 보니 최근 나에게 느낌 있다고 말한 사람들은 대부분 그냥 느낌 있다고 말하지 않았다. 음악 하는 사람처럼 느낌 있다고, 미술 하는 사람 같은 느낌이 있다고, 전성기의 안정환 선수처럼 느낌 있다고, 예술가의 기운이 느껴지면서 느낌이 있다고. 늘 이런 식이었다. 느낌 있다는 게 뭘까? 느낌 있다는 건 예체능의 영역인 걸까? 아니면 혹시 머리 좀 자르라는 말, 30대답게 좀 하고 다니라며 철 좀 들으라는 말을 예쁘게 돌려서 한 건 아닐까? 잘 모르겠다. 느낌 있다는 말의 느낌에 대한 느낌을.

문득 호기롭게 머리를 아주 많이 길러보고 싶다는 생각이 들었다. 어디까지 기르면 느낌 있다는 말이 다른 말로 바뀔지가 궁금해서. 바빠서 머리 자르러 갈 시간이 없다는 좋은 핑곗거리도 있으니까.

미니멀리즘(minimalism)

미니멀리즘을 대표하는 로버트 브라우닝의 말이 있다. "Less is more."(적은 것이 풍부한 것이다.)

인천에 사는 나로서는 이 말, 즉 미니멀리즘이 오늘날의 한국 사회를 완전히 집어삼키고 있는 것처럼 느끼곤 한다. 인천 촌놈이라 다른 지역은 어떤 분위기인지 사실상 정확히 알 수는 없겠지만, 적어도 매스미디어와 밀접히 지내는 나로서는 그렇게 느끼고 있다.

오늘날 경제상황은 아무리 시간이 흘러도 나아지지 않는다. 우리의 월급은 아무리 시간이 흘러도 나아지지 않는다. 당연히 물가는 아무리 시간이 흘러도 그만큼 오른다(?). 팬데믹으로 인해 이런 상황은 더욱 심각해진 것이 분명한 것 같다. 그러다 보니 사람들은 너도 나도 모든 것을 줄이고 또 줄인다. 미니멀리즘이라는 이름으로 옷도 줄이고, 외식도 줄이고, 소비란 소비는 다 줄여버려야 비로소 탈출구가 보이기 시작하니까. 적은 것이 풍부한 것이라는 로버트 브라우닝의 말과 함께 줄이고 또 줄인다. 사실 적은 게 뭐가 풍부한 것인지 잘은 모르겠지만, 역설적인 게 원래 또 매력적으로 보이고 그런 거니까. 느낌 아니까. 어쨌든 이 말이 우리에게 어엿한 위로를 주니 열심을 다해 적은 것이 풍부하다고 외쳐야 하리라. 물론 나도 이 말을 열심히 외치고 있다. 결혼을 준비하며 신혼집을 구하기 위해 모든 것을 줄이고, 내려놓고, 포기하고 있다. 그래도 탈출구가 안 보여서 매우 당황스럽기는 하지만. 아무튼 아무렇지 않은 척, 묵묵한 척하며 열심히 그러고는 있는 상황이다.

구하는 중인 신혼집은 둘째치고, 부모님과 함께 살고 있는 우리 집의 이야기를 해보자면 앞서 말한 내용들과 마찬가지의 행보를 걸어야만 했다. 한껏 느낌 있게 적은 것이 풍부한 것이라고 외치며 모든 소비를 줄였고, 줄일 수 있는 모든 것은 다 줄이다가 끝내는 집까지 줄여버렸다. 나는 인천으로 6살에 이사를 왔고, 16년간

한 번도 이사를 경험하지 않았다. 그 말인즉슨, 16년이라는 추억이 가득 깃든 집을 눈물로 팔아야만 했다는 이야기다. 그러고는 근처의 작은 집으로 이사를 했다.

그런데 이사한 후에 마주한 현실은, 지난 추억 때문에 눈물이 나고 말고 그런 것을 신경 쓸 겨를도 없다는 것이었다. 시급한 문제가 있었다. 집까지 다 줄여 놓았지만, 막상 짐은 줄어들지 않았다는 것. 도저히 짐을 처리할 수가 없었다. 이 문제가 너무 크게 다가왔다. 어떻게든 짐을 여기저기 욱여넣기 시작해야만 했으니까. 집이 줄어드니 이사 전까지는 멀쩡한 것으로 간주되던 물건들에게 이제는 자연스레 쓰레기라는 이름을 붙여주어야만 했다. 새로운 이름을 부여한 후에는 쓰린 마음을 부여잡고 그것들을 계속해서 내다 버렸다. 심지어는 버리는데도 돈이 많이 들었다. 그렇게 몇 번을 버리고 또 버렸을까? 아무리 버려도 또 다른 물건들이 자신에게도 쓰레기라는 이름을 붙여달라며 슬픈 표정으로 나를 기다리고 있었다. 이전 집에서는 나의 인생 필수품 10호 정도가 되었던 녀석들은 이곳에선 비참하게 쓰레기 1호 정도로 둔갑되어야 했고, 쓰레기라는 이름을 부여받지 않고 살아남는 녀석들은 중고장터로 팔려가야만 했다. 이 과정에서 나는 자전거라는 취미생활도 눈물을 머금고 포기해야만 했다. 이 집에는 도저히 자전거를 둘 곳이 없었으니까.

얼마나 버리고 팔고, 버리고 팔고 반복되는 일상을 보냈을까. 또 다른 문제가 발견되기 시작했다. 생활필수품들이 어쩜 이렇게 다양하고 많은지. 생활필수품은 정말 필수품이니 아무리 집을 줄였다고한들 버릴 수 없는 노릇이지 않은가? 골치가 아팠다. 이런 상황 가운데 누군가 했던 말이 떠올랐었다. 동양 미술 특유의 여백의 미는 거시적인 의미에서 미니멀리즘이라고. 정말 그럴까? 생존에서 시작된 미니멀리즘에서 여백의 미라고는 어디에도 없던데. 여백을 만들 수 있는 집은 애초에 미니멀리즘을 꿈꿀 기회조차 안 줄지도 모르겠다는 생각을 해보았다.

집을 줄이고, 짐을 정리하고, 어떤 것들은 쓰레기로 분류하여 버리고, 어떤 것들은 중고장터에 내다 팔고, 생활필수품들을 완전히 욱여넣기까지 최소 석 달은 걸렸던 모양이다. 이젠 뭘 어디에 넣었는지도 헷갈리는 게 또 하나의 문제이기는 하지만.

서른 넘은 아들놈이 얼른 결혼해서 나가야 그 누군가의 말처럼 여백의 미라는 게 좀 찾아오곤 할텐데. 괜스레 그놈은 지난 석 달 동안 부모님께 죄송한 마음을 가지고 있었다. 그러나 엄마는 오히려 그놈에게 미안해

했다. 짐을 넣을 곳도 다 없어서 어떡하냐, 침대랑 행거가 붙어있는데 불편해서 어떡하냐, 공부하는데 짐 때문에 방해돼서 어떡하냐, 집에서 일하는 날이 많은데 일할 자리도 없는 집이라 매번 어떡하냐.

엄마는 아들에게 어린 시절부터 늘 인간은 적응의 동물이라 가르쳤었다. 아들놈은 이제 그 말을 역으로 이용해 엄마를 편안히 해주고 싶었다. 몇 달 살아보니 오히려 좋다고, 적응하고 나니까 손만 뻗으면 닿는 거리에 모든 것이 있어서 편하다고. 충분하다고. 진심 반, 거짓 반을 적절히 섞어 아들놈은 대답했다. 그렇게 말해줘서 너무 고맙다는 엄마.

엄마는 유행에 뒤처지는 사람인가 보다. 미니멀리즘이라는 거대한 시대의 흐름은, 막강한 힘에도 불구하고 엄마의 생각을 감싸지 못했다. 엄마는 시대가 아무리 변해도 미니멀리즘이 아닌 맥시멀리즘(Maximalism)이라는 흐름을 추구하는 어른일 뿐이었다. 다 큰 아들을 여전히 최대치로 사랑하는 어른. 좁은 집에서 겪게 될 당신의 불편함보다는 다 큰 아들의 불편함만을 최대치로 걱정되는 어른.

나는 언제쯤 엄마 같은 어른이 될 수 있을지 잘 모르겠구나.

두 번째 작가, 송은화

Instagram: @eunhwas

마음공부하는 논술샘!

그냥 긁적이기를 좋아하고 종이에 아무거나 쓰기를 즐깁니다. 요즘은 종이와 연필이 아니라 컴퓨터 키보드나 핸드폰을 더 많이 두드리며 소소한 일상의 공유를 낙으로 삼고 있습니다. 언어유희의 행복함을 함께 나누고자 합니다.

니 이름이 머고?그라몬 내 딸 이름은 머고?

엄마는 83세

아직도 고우시다. 절대로 83살 같아 보이지 않는, 매우 동안이시다. 누가 봐도 70대로 보일 정도로 고운..

타고난 하얀 피부 덕에 항상 나이보다 열살은 젊어뵈는 엄마의 동안 유전자를 나는 물려받지 않았다.

19년도 가을부터 시작된 치매 증상은 지금은 중기로 접어들어 컨디션이 안 좋을 때는 내가 딸이라 해도 처음 보는 사람마냥 쳐다보는 빈도가 짧아지고 있다.

언젠가 내가 딸이라고 해도 못 알아보는 어느 날이 오겠지...

살아오면서 살가운 모녀지간도, 그렇다고 소원하다고 할 수 있는 모녀지간도 아니었다.

그냥 항상 엄마를 그리워하며 살아왔다는 말이 맞을 것 같다.

나는 엄마보다 엄마가 빨리 되었다. 엄마는 옛날 사람인데도 결혼을 늦게 했는데, 나는 결혼을 일찍 시키려고 하셨다.

엄마가 되면 엄마를 이해한다고 하는데, 나는 엄마가 되고 울엄마가 더 이해되지 않았던 시절이 있었다.

그렇다고 지금도 이해가 되는 것이 아니라 그럴수 밖에 없었던 삶을 그냥 그대로 바라보게 된다.

중매결혼으로 결혼식장에서 남편의 얼굴을 마주하고 결혼을 한 울엄마.

지금은 상상조차 할 수 없는 결혼의 형태와 문화.

울엄마는 이런 결혼문화를 과감히 벗어날 수 있었던 나름 신여성이었던 거 같다.

참고 산다가 아니라 깨고 나갈 수 있었던 용기는, 가끔 대단하다는 생각이 든다.

이제는 물어보지를 못하네….

이런 강단 있었던 사람이 치매라니, 처음엔 아닐거라고 서로 생각했다.

이제는 적응이 되어간다. 적응을 해야 한다. 다행인

건 아직 신체적으로 건강하시다.
어제도 1분 정도 나를 못알아봤지만,,,금방~
'내 딸이네'라고....
심술궂었다가 아이같았다가 수줍어했다가
여러가지 얼굴이 동시다발적으로 나오는 83살 울엄마....

어느 주말
우리 집 거실에서 좌불안석으로 가방을 꼭 쥐고,
'집에 언제 델다줄끼고?"
'좀 있다가'
종종거리며 빨래 널고, 설거지하고 엄마 옆에 앉았다.
또 얘기한다.
'집에 언제 델다줄끼고?"
'집에 가고 싶나?'
어디 나갈 때 마스크 써야 한다고 그렇게 얘기해도 막 나갔는데,
마스크까지 다 쓰고, 잠바 입고, 앉아서 물끄러미 나를 보다가

'니이름은 머고?'

'으나'

'그라몬 내 딸 이름은 머꼬?'

'으나'

'으나?'

'내가 누군데?'

한참 보다가.

'누긴 누라, 내 딸이지'

'내가 누구라고?'

'야가 머라카노'

2년전엔 눈물이 나왔다. 지금은 웃음이 나온다.

엄마는 치매가 시작된지 4년차에 접어들었다.

정신이 왔다갔다 하는 상태다. 기억력은 점점 사라져가고, 엄마형제들은 얼굴 보면 아는 사람도 있고, 얼굴을 봐도 모르는 사람도 있다.

아직은 나를 잊어버리지 않았다.

그보다 더 안잊어버리는 사람은 당신의 엄마다.

당신이 낳은 아들은 기억속에서 있다가 없다가하는데,

14년전에 돌아가신 외할머니는 정확히 사진에서 알아보신다.

엄마라는 존재의 위대함은 치매도 이기는 걸까?

엄마가 99%기억이 사라질때도 외할머니는 알아보실

까...궁금하다.

지금 상태로 보면 1%의 인지가 남았을 때 자식보다 엄마일듯하다.

잠시만

정동의 격리란 고통스럽고 불안한 마음으로부터 감정을 격리해 버리는 것이다.

개그 프로를 봐도 재밌다고 생각한 적이 별로 없었다. 정신분석적 진단의 방어기제 중에서 나는 정동의 격리를, 타인에게는 주지화를 사용하고 있었다. 나의 삶은 감정을 억압하지 않으면 눈물 마를 날이 없는 삶이었을 것이다. 나를 지키기 위해 어린 나는 사고와 감정을 철저하게 분리하는 방법을 선택하며 살았왔던 거 같다.

건강한 희노애락이 뭔지 모르는 시간을 많이 보냈었

다.

아주 오래전에 엄마가 그리웠던 날들을 생각해보면 지금은 엄마를 아무때고 볼 수 있는데, 그 오래전만큼 그립지가 않다. 언제고 볼 수 있어서 그런가...

있을 때 잘하라고 한다. 살아있어서 엄마라고 부를 수 있어서 얼마나 좋냐고 작은이모가 얘기하셨다. 나도 안다. 아빠를 일찌기 여읜 나로서는 너무 잘 아는 사실이다.

홈CCTV를 조석으로 켜두면 엄마를 볼 수 있다. 카메라로 보고 있다고 한 걸 기억하는지 방문을 안닫고 주무신다. 아침저녁으로 cctv를 보고 있는 나를 보는 남편은 나중에 요양원에 어찌 보낼래? 한다. 아니, 나는 엄마가 집에서 케어가 되지 않는 상태가 된다면 미련없이 요양원에 입소시킬거다.

우리들의 블루스에서 정준 선장이 동석이에게 '부모는 낳아준거만으로도 감사해야 한다고...그것만으로 부모가 다한거라고....' 그럴지도 모른다.

그 감사한 마음....

내가 할 수 있는 최선을 다해서 원도 한도 없다. 현재는!

잘해도 후회하고 못해도 후회하는거, 그냥 할 수 있는 만큼하고 후회할거다.

지난 일요일...

나노입자처럼 아주 조금씩 기억을 잃어가는 울엄마.

'니가 미갱이가?'

'내가 눈데?'

'내 딸이지?'

'내 이름이 뭐고?'

'잊어무따'

엄마는 내 이름을 잊어버렸다. 작년 8월에도 니이름이 머고,,했었지...작년엔 많이 울었었다. 이제는 무뎌진다.

어렸을 때처럼 감정은 저 너머로 넘겨놓는다. 슬프면 울면 되는데, 기쁘면 웃는 것처럼 자연스런 내 감정인데, 덜 힘들기 위해서 잠시 모른 척 한다.

나는 요즘 잠시 내려놓고, 잠시 모른 척하고, 잠시, 게으름을 가까이 둔다.

잠시만...

세 번째 작가, 최진호

Instagram: @ruah0_828

살다 보니 글 쓰는 재주를 발견하게 되고
살다 보니 드라마 작가도 해 보고
살다 보니 동화 작가도 해 보고
살다 보니 연극과 뮤지컬 대본도 써 보고
살다 보니 영화 시나리오도 써 보고
살다 보니 그 고상하다던 시를 써 보고
살아내다 보니 이렇게 이야기꾼이 되어 있고...

캐나다 가을의 숨을 마시다 (M2N 2G9)

조금 이른 저녁을 먹고 잠깐 산책이라도 할 겸, 집을 나섰다.

즐겨 입는 청바지에 얇은 후드티, 그리고 편한 TOMS 신발을 신고 핸드폰에 이어폰을 연결해 편안한 음악을 틀어본다.

언제나 자주 걷는 산책로(라고 해 봤자 동네 주택가)를 가기 전에 잠깐 팀 홀튼에 들려 커피 하나를 Take out 해본다.

팀 홀튼 안엔 몇 테이블이 안 되지만 각양각색의 사람들이 모여 앉아있다.

도넛을 진열해 놓은 진열장엔 여러 종류의 도넛들이 먹음직스럽게 놓여 있고, 커다란 LCD TV엔 팀 홀튼의 다양한 메뉴와 이벤트 광고가 쉴 새 없이 바뀌어 가며 나온다.

내 차례가 되어 커피를 주문해 본다. 커피는 언제나 블랙에 투 시럽. 날이 조금씩 선선해지기 시작해 손으로 잡는 커피 온도가 적당하다.

그렇게 한 손에 커피를 들고, 편한 음악을 들으며 조용히, 그리고 천천히 2019년 9월 말의 템포에 맞춰 걸어본다.

초저녁의 캐나다 가을의 풍경은 여유롭다. 언제봐도 예쁜 주택가와, 거리 주변에 있는 메이플 트리는 알록달록해지고 하늘은 파스텔 색깔의 해가 지는, 여유로운 풍경이다.

길가에 떨어진 낙엽들을 밟을 때마다 '바스락' 거리는 소리는 가을을 맞이하는, 아니 가을을 느껴볼 수 있는 최고의 소리임엔 틀림없다.

또 코끝으로 전해지는 갓 볶은 커피 향과 조금은 쓰디쓴 커피의 맛이 더욱 깊은 사색으로 인도한다.

그렇게 걸어가다 공원 벤치에 앉아 잠깐 쉬어간다. 주변엔 나처럼 산책하는 사람들과 개를 데리고 나온 사람들, 그리고 가족이 함께 나와 걷는 여유로운 풍경이다.

그런 풍경에 조용히 눈을 감고 생각해 본다.

'이제, 조금…. 쉬어도 괜찮겠죠?'

평온한 마음에 나도 모르게 입가에 미소가 지어졌다. 그렇게 눈을 감은 채 한참을 있었나 보다. 시간이 제법 지났는지 이어폰을 빼어보니 어디선가 풀벌레 소리가 들린다. 눈을 떠보니 이제 저녁이 끝나가고 밤이 되어 가고 있었다.

서둘러 남은 커피를 다 마시고 가벼운 발걸음으로 집에 돌아온다. 하늘엔 별들이 조금씩 모습을 드러내고 간간이 보이는 주택가의 거실에선 TV 화면이 보인다.

오늘도 하루의 끝이 시작된다. 집에 들어가기 전, 커다란 단풍나무 아래에서 청정한 캐나다의 가을 숨을 깊게 들여 마시며 집에 들어간다.

그렇게 당신과 함께 있어 행복하고 당신이 주는 자연의 쉼이 나에겐 무엇과도 비교할 수 없는 꿀송이와도 같다.

캐나다 늦여름의 밤을 그리다 (L7K 2N6)

"식사하세요~!"

내 방에서 다음 주 화요모임 찬양 콘티를 구상하데, 숙소 복도에서 들리는 저녁 식사 시간 알림.

주섬주섬 옷 입고 나가려는데 문득 바라본 창밖 풍경이 기가 막히다. 오늘 같은 날은 놓칠 수 없지.

서둘러 문을 열고 라운지를 통해 밖으로 나가려다 물통을 안 챙겨서 다시 방에 들어와서 물통을 챙겨 나간다. (밤에 다시 식당 가기가 좀 귀찮다)

두 개의 하얀색으로 된 식당 문을 열고 들어가면 짜장 냄새가 더욱 입맛을 돋게 한다. 오늘의 메뉴는 짜장

밥, 계란국, 단무지. 좀 단순한 메뉴지만 먹기 편하고 맛있다.

밥 먹기 전에 식당 입구에 있는 식당 당번을 확인하는데 오늘은 다행히 당번이 아니다.

사람들과 인사 나누며 밥을 먹는데 먹다 보니 맛있다. 한 번 더 먹으려다 오늘의 미션이 있어 서둘러 자리에서 일어난다. 숟가락과 젓가락은 수저통에, 잔반은 잔반통에, 그리고 그릇은 설거지통에 넣고 유리로 된 컵에 물 한 잔 마시며 가져온 물통에 물을 담는다.

물을 담으며 오늘 저녁 식사를 만든 사람과 몇 마디 주고받고 나가려는데 등 뒤에서 들리는 소리,

'간사님! 이따 8시에 팀 홀튼 커피! 콜?"

나는 엄지를 척 올리며 오케이 신호를 보내고 식당을 나선다.

아스팔트로 된 큰길을 따라 다시 숙소인 베이스로 들어가서 철문 입구를 열고 라운지를 지날 때쯤 들리는 소리,

"벌써 밥 먹었어? 빠르네~"

가볍게 인사 나누고 그 사람은 식당으로, 나는 복도 1번 방인 내 방에 들어가서 핸드폰과 이어폰을 챙겨 다시 나온다. 그리고 나무 계단을 따라 내려가서 왼쪽으로 갈 때쯤이면 누군가 벌써 세탁기를 돌려놨는지 덜

컹거리는 세탁기 소리.

싸인 업 시트지를 보면 이따 8시엔 이름을 써 놓은 사람이 없으니 세이프. 서둘러 이름을 적는다. 싸인 업 시트지를 보고 이름을 적는 그 짧은 순간에 비록 화학 냄새이긴 하나, 세탁실 안의 섬유 유연제 냄새가 은은하다.

다시 가던 길을 직진하면 강당이 나오고 불을 켜지 않아 실내는 어둡지만, 밖에서 비추는 저녁 햇살로 인해 충분히 안은 밝다.

강당 안은 사람 손 많이 탄 가죽 소파와 테이블과 의자가 합체된 책상들이 자유롭게 있고 나는 난로 옆을 지나 철문을 열고 밖으로 나온다.

시간을 보면 저녁 6시 48분. 연분홍색이 합쳐진 주황색 노을과 끝을 향해 달려가는 저녁 태양. 그리고 파스텔 톤의 파란 하늘은 가히 장관이라 할 만큼 황홀하다. 주머니에서 핸드폰을 꺼내 사진을 찍어보는 내내 나는 계속 감탄을 연발한다.

노을이 지자 기다렸다는 듯, 밤이 찾아온다. 몇 발짝 앞엔 연못이 있어 모기들이 날아다닌다. 그럴 줄 알고 얇은 바람막이를 입고 모자를 쓰고 왔지.

이어폰을 꺼내 핸드폰에 연결해 본다. 그리고 아르페지오로 연주된 잔잔한 기타 음악을 틀고 연못 앞에 있는 하얀색 벤치에 앉아본다.

아차차 싶어 음악을 끄고 귀에 꽂은 이어폰을 잠시 빼어본다. 귀에 조금씩 들리는 풀벌레 소리와 요상한 개구리 울음소리가 들린다.

크게 코로 숨을 들이쉬자 상쾌한 피톤치드가 몸 안에 들어온다. 기분이 좋은지 나도 모르게 미소가 지어지고 자연 안에, 하나님 품 안에 안긴 것 같다.

'주님, 감사합니다..'

마음속으로 하나님께 감사를 드리고 다시 이어폰을 꺼내 귀에 꽂자 들리는 소리,

"뭐해? 음악 들어?"

누군가 옆에 와서 내게 말을 붙여본다. 결국 좋아하는 음악도 못 듣고 분위기도 누리진 못했지만, 함께 하나님 이야기, 선교 다녀왔던 이야기, 앞으로의 비전을 나누는 그 시간이 즐겁고 행복하다.

그렇게 나는 잔잔한 캐나다의 늦여름 밤을 그리고 있었다.

네 번째 작가, 민은숙

Instagram: @writer_esmin

우주의 씨앗 하나란 존재가
지구별과 함께하며 시를 씁니다.
작고 소소한 활자의 힘이나마
누군가에게 공명이 전달된다면
참 좋겠습니다.

긍정을 저장하고 있어

함박눈이 펑펑 내리는 한겨울날에는 이상하게 춥지가 않아.

맨손으로 눈을 한 움큼 집어 쪼물락거리고 싶어.

백설 같은 눈이 세상을 뒤덮으면 더러운 것들도 순수해지는 순간이야.

뽀드득뽀드득 소리를 내면서 아무도 흔적을 남기지 않은,

깨끗한 백설에 길을 만들어 본 적이 있어.

기분이 남달랐어.

내가 만들어 놓은 눈길을 누군가 걷고 있어.

내가 길을 창조한 순간이야.

처음치곤 꽤 위용을 드러낸 첫눈이 내렸어.
겨울 채비는 어떻게 잘하고 있는지 궁금해.
요즘 난 긍정을 많이 저장하고 있어.
긴 겨울 동안 동면 해도 될 만큼.
오늘은 수확이 꽤 컸어.
오전엔 금손이 만들어준 김밥으로 오후가 든든했어.
오후엔 어땠는지 알고 싶니?

얼마 전부터 벼르고 있던 갤러리에 드디어 갔어.
김밥이 점심시간을 많이 벌어줬거든.
그냥 따뜻한 그림들을 둘러볼 생각이었지.
그림을 자주 보긴 하지만 사실 난 잘 몰라.
그냥 감각이 주는 대로 느낄 뿐이야.

오늘은 참 운이 좋아.
관장님이 날 데리고 다니면서 그림이며, 화가며,
갤러리에 소속된 작가들의 그림까지 부연 설명을 해 주셨어.
게다가 소장하고 있는 수장고의 작품도 살짝 보여 주

셨어.

오후를 한 시진 뜨겁게 달구었지.

헤어지기가 아쉬울 정도로 우린 티키타카가 탁구공처럼 날아다녔어.

내 착각 같지?

아니야. 내가 몇 번을 작별 인사를 했게.

네 번은 한 것 같아.

다음에 또 가야겠어. 이번 한 번으론 부족해.

다음에는 차 한 잔 같이하자고 하셨어.

그리고 다음 전시회는 특별전이라고 눈을 빛내셨어.

가지 않으면 후회할 수도 있다고 해.

기필코 가야겠어.

어제는 도토리묵을 쑤어온 볼매를 만났어.

기타 연주를 하면서 노래까지 불러주었어.

도토리묵이 입안에서 아이스크림처럼 살살 녹았지.

요리는 젬병이어도 입맛은 살아있는 내가 예쁘대.

깨작거리지 않고 잘 먹어서 기쁨을 준다네.

또·해 주고 싶은 마음이래.

다음 주에는 날 위해 요리를 포장해서 가져오시겠대.

이만하면 나 겨울 채비 단단히 하는 것 같지 않아?

나 요즘 긍정을 많이 비축하고 있어.
턱선이 둥글어지고 있거든.
내일은 오전 일찍 긍정이 먼저 연락한 만남이 갑자기 성사되었어.
바이올리니스트와 오전 일찍 커피타임을 갖기도 했지.
우린 음악에 관한 이야기를 나눌 참이야.
미술 이야기도 재미있지만, 음악 이야기도 만만찮겠지.

깊은 겨울밤에 꺼내 먹을 미술과 음악 그리고 사람에 대한 온정.
난 올겨울이 점점 기다려지는 것 같아.

가을 탱고

한낮에는 햇살이 등 뒤에서 붉은 깡깡 치마를 입고 춤을 추고 있다.

강렬하지만 모공에서 뜨거운 김을 발산하지는 않을 만큼이다.

콧속으로 바람이 날 통과한다.

허파에는 당도하지 않을 목구멍 안쪽 딱 그만큼.

산책하거나 걷기에 참 좋다.

운동을 선호하지 않는 나이지만 걷는 것은 좋아한다.

내 걸음은 느리지만 키다리가 와서 걸어도 보조를 맞

출 수 있을 만큼

속도 면에서는 뒤처지지 않는다는 다수의 평가를 받곤 한다.

어제저녁 즈음하여 천변의 나무 아래서 눈이 커졌다.

마지막 탱고를 강렬하게 추고 있는 한 커플의 공연을 보았다.

걸음을 멈출 수밖에 없었다.

그 붉은 춤사위를 내 망막을 렌즈 삼아 동영상으로 담고 싶었다.

거미줄 하나에 붉은 단풍이 가을바람의 칼날 위에서 회전하고 있다.

거미줄이 주목 사이 어딘가에서 멈추어 있을 것이다

주목의 우듬지까지 탱고를 추면서 하강하고 나면 커플은 어디로 가야 할까.

가을바람이 내 관자놀이를 더듬고 간다.

머리카락이 얼굴을 슬며시 덮으며 눈앞에 어른거린다.

단풍은 생의 거미줄에서 마지막 혼을 불태운다.

가을바람이 거미줄을 쥐고 투우사의 물레타처럼 우아하고 엣지있게 흔든다.

가을바람이 과감하게 내 콧속을 침범한다.

허파까지는 아직 소식이 없어 안심이다.

그전까지는 나도 눈부신 시월의 끄트머리에서 감동의 치마를 흔들 수 있을 것이다.

시간을 벌어놔야 한다. 기침이 시작되기 말기를.

아직 나는 건강하다.

라벤듈라 반데라인 나의 챠챠가 가을바람이 찾아온 뒤로 쑥쑥 자라고 있다.

아직 영양제를 주지 못했는데도 위로 손뼉을 치면서 가을에 맞장구를 치고 있다.

늦지 않게 영양제를 입에 넣어주어야겠다.

칼바람에도 끄떡없는 면역력을 키워줘야겠다.

챠챠는 가을 햇살 바라기다.

나는 아침마다 챠챠의 전신을 관찰하고 늘씬하게 크도록 방향을 조절해 주고 있다.

포르투갈인이 새로운 항해를 떠날 때면 챙겼다는 비상약이 있다.

당시에는 지금의 상비약인 종합감기약이나 지사제와 같은 약이 있었을 리 만무하다.

라벤다가 그중 하나였다고 한다.

심신을 안정시키고 배앓이를 잦아들게 해 준다고 한다.

향은 어떠한가. 콧속으로 자연스럽게 들어와 마음을 편안하게 해 준다.

그렇다고 막 음용한다면 바람직하지 않은 결과를 초래할 수 있다.

무엇이든 적당한 선과 양이 있는 이유가 있다.

선은 넘지 말라고 그은 선이다.

그 선을 넘는다면 그 결과는 오롯이 넘은 자의 몫이다.

가을바람이 분다.

자연물처럼 나도 가을을 타고 문화란 탱고를 열심히 추는 중이다.

시월은 자연의 온몸이 예술이다.

길지도 않은 이 눈부심을 눈이 멀도록 만끽해 보련다.

다섯 번째 작가, 김정화(김부엉)

Instagram: @picturejjeong / @jjeonggg15

모든 이가 행복을 누릴 수 있는 삶을 꿈꿉니다.

어린시절부터 시와 글을 좋아했고 유치한 많은 시들을 썼습니다. 자유와 행복을 사랑하고 모두를 행복으로 이끌고 싶은 낭만가. 제가 느낀 삶의 희망과 절망을 씁니다.

이런 나도 살고 싶어

매일 기력 없이 침대에 누워서 무능력한 나에게 스스로 칼을 꽂았다. 다른 사람이 나의 무능력함을 욕하지 않았으면 하면서, 나는 그저 아무것도 할 수 없는 사람이니 이런 나를 이해했으면서도 또 나 스스로는 용납할 수 없이 한심스러워서 아무도 이런 나를 있는 그대로 인정해주지 않을 것이라고 믿었다. 그리고 이런 나라도 살아있어도 된다고 말해주는 사람이 있었으면 했다.

'시작이 반이다'라는 말이 내겐 의미 없었다.

시작만 하고 마무리 짓지 못한 일들이 많아질수록 합리화적인 말로만 들렸고, 의심하게 될수록 나는 시작조

차 감히 하지 못하는 애가 됐다. 어차피 이것도 이러다 말겠지. 하고. 아무시도도 하지 않으면서 변화가 일어나길 바라는 건 말이 안 된다고 생각했다.

앞으로도 나는 이렇게 사는 걸까? 사실은 싫었다. 지겹게 나를 미워하면서 이 사실을 받아들인다는 게 서글펐다.

뭔가 할 줄 모르면 도태되어지게 되어있는 사회 시스템은 문제가 있다고 말하면서도 스스로 내가 문제라고 여겨왔고, 정말 내가 문제라는 것을 직면하고 괴로울까봐 시도조차 두려워했다. 아프면서도 막상 병원에서 진단받을 병명을 알기 싫어서 병원에 가지 않고 별거 아닐 거라고 괜찮아질 거라고 생각하며 합리화시키고 아픈 것을 인정하지 않으려는 사람들이 이해가 되지 않았다. 돌이켜 생각해보니 나 또한 인생의 많은 순간을 그런 식으로 애써 회피해왔다는 것을 안다.

내 자신이 최악의 사람은 되지 않았으면 하는 마음이 도전을 막고 무기력을 습관화 시켰다.

아무런 결정을 내리지 않고 살아 온 내가 그 결정하지 않은 것들 또한 다 내 선택이라 믿고 살았다. 좋게 포장한 거지만 사실은 쉽게 말해 시간이 흘러가는 대로 아무 생각 없이 살았다는 거다. 여기서 말하는 아무 생각이란, 나에 대한 고찰이나 발전적인 흐름의 생각 같은 것이다. 쓸데없는 생각이나 고민 그런 것은 매일 있다. 그러나 그건 오히려 걱정만 늘게 해서 '행동을 멈추게 만드는 생각'이지, 나를 '행동하게 하는 생각'은 어떻게 해야 하는지를 몰랐다.

그리고 그것은 곰곰이 아무리 생각해봐도 내가 할 수 없는 종류의 생각 같았다. 나는 평생 같을 거라 생각하고 또 그렇게 시간의 흐름에 나를 방치해두었다.

지금의 나는 최악의 극한까지 나를 버려두었었고, 다시 나를 구하고 싶어져서 고민해 온 시간이 길어지다 보니 이제야 드디어 제대로 들어먹을 준비가 되었었던 것 같다. 타이밍이란 것이 이렇게 어렵고 그래서 정말 소중하다.

환경에 지배되는 나라는 사람은, 술자리에서도 분위기에 취하는 사람이고, 평소에도 주변상황을 파악하고 적응하는 것을 잘하는 편인데 이러한 점이 나를 내 집에서 너무 익숙해 도태된 사람처럼 느껴지도록 스스로를 가로막아 우물 안 개구리가 돼버렸다.

집에서도 충분히 스스로 무언가를 할 수 있을 거라 믿었던 시간들도 있었다. 정신 사납게 하는 큰 가구도 과감히 버리고 새 테이블을 놓고, 집중이 잘 되는 조명과 나를 이겨내기 위한 위로의 책과, 자기계발서적들을 구비해놓고 때때로 그것을 읽었다.

그러나 몸과 마음 모두 익숙해진 이 집에서, 아쉬운 점은 나에게 아무도 어떠한 지속적인 발전적 자극도 줄 수 없는 환경인지라 마치 마법처럼 아무 기력도 나오질 않아서 아무런 것도 할 수 없었고 매일 밤 빈종이 앞에서 내 무력함에 실망하는 것 말고는 느껴지는 게 없었다.

환경을 바꿀 필요성을 늘 느껴왔는데 나는 내 방을 바꾸거나 이사를 가면 될 줄 알았다. 그런데 그것보다 큰 세계가 이 집에 환경을 조성했다. 나는 이 집에선 회피 말고는 할 수 있는 게 없는 어른이었다. 나를 이 우물 안에서 벗어나게 해주고 성장시켜줄 방법으로 단기간이라도 독립을 해보자는 생각을 하게 한 이유도 이것이다.

항상 무기력한 상태에서, 과연 내가 어떤 걸 할 수 있는지 무엇을 발전시켜서 누구에게 어떤 도움, 어떤 영향력을 줄 수 있는지 고민하며 평탄하고 의미 없는 이 삶에 만족하지를 못했다. 그러나 앞서 말했듯 무엇도 도전하지 못하고 날려 온 시간들만 점점 늘어났다.

아무것도 못하고 나를 탓하며 누워만 있던 내가 드디어 미치도록 지겨운 이 공허에서 벗어나고 싶다고 생각했다.

내 삶을 유지시켜주는 감사한 분들을 등에 업고 내가 무엇을 할 수 있을지 궁금해졌다. 나와 함께 하는 사람들에게 내가 부끄러운 사람이 되지 않도록. 더 이상 환경과 성향을 탓하지 않아야지.

그런 내가 살고 있어

요즘 정말로 나중이 기대되는 나날을 보내고 있다.

항상 달라지지 않을 것 같아 미래를 기대할 수도 없이 걱정뿐이었는데, 그것은 사실 달라지면 기대할 미래가 생길 수 있다는 것을 알고 있었던 것이다. 그러나 지금껏 나는 달라진 점이 없이 일관성 있었기 때문에… 앞으로도 달라질 수 없다고 생각했다.

그렇게 생각하니 다른 미래, 내가 꿈꾸는 모습은 가질 수 없는 환상(나쁘게 말하면 망상)일 거라고 믿었다. 당연하게도 이런 날이 길어지니 어느 순간 미래가 불안하고 기대되지 않았다.

바뀌지 않을 미래, 예상되는 망한 미래를 생각하니 무기력에 빠지는 것이 당연했다.

달라져야, 생각부터 달리 먹고 노력해야 내게도 기대할만한 미래라는 게 있을 텐데, 도대체 어떻게 해야 이 마음이 달라질 수 있는 걸까 많이 고민했다. 이 마음을 헤아려주고 밭을 갈아주는 소처럼 내 토지를 갈아줄 책들도 읽고, 나와 비슷한 가치관을 가지고 있는, 나보다 한두 발 앞에서 나를 끌어주는 실질적으로 도움이 되는 유튜브 채널의 영상들도 계속보고 그대로 해보려고 노력했다. 그리고 항상 새로운 경험을 하고, 똑같은 경험도 같이하는 즐거움이 어떤 건지 알려준 언니들 덕분에 다음에는 어디를 갈지 무엇을 할지 조금씩 미래가 다시 기대되었다. 또 고민을 나눠도 가치관과 결이 비슷해서 길고 깊게 이야기를 나누고 나면, 마음이 한결 좋아졌다.

아무튼, 나는 나에게 미래를 기대하게 만들고 같은 결의 이야기를 나눌 수 있으며, 자신이 하고 싶은 것들, 해야 하는 것들을 두루 추진해내는 능력의 언니와 함께해야 내가 그의 영향을 받고 나도 성장할 수 있을지도 모른다는 기대가 생겼다. 몇 달 간의 생각과 고민이 이렇게 결론나자, 내가 살 수 있는. 성장할 수 있는 환경을 간절하게 원하게 되었다.

드디어 집을 설득할 확신이 생겼다.

그렇게 독립의 디귿 만 꺼내도 기겁을 하는 집에서 나는 독립할 수 있게 됐다.

무언가 이것저것 시도하고 해나가는 일들이 조금씩 늘어났다. 그런 와중에도 여전히 멍하고 살짝 멈춰있는 듯한 순간들도 있었다. 깨달음만으로 마치 이미 뭐 될 것처럼 만족한 건가 싶었다. 다행스럽게도 그 시간을 지나 진짜 조금씩 해나가는 내가 놀라울…려는 것도 잠시 또 그 안주함의 시간에 잠시 안착한 이 느낌. 참 더디게도 성장한다.

그래도 확실히 이제는 안다. 정지가 아니라 일시정지라는 것을, 며칠, 몇 달 못했다고 인생이 망한 게 아니라, 계획이 망한 게 아니라, 언제든 다시 재생하면 그것은 인생전체의 관점에서 계속 이어지는 연속적인 것이니까. 라는 마인드로 바뀌어서 이제 내가 멈춰있는 순간도 연속되는 점 중 하나라고.

이런… 아직도 포기 안하는 내가 신기하다. 몇 달 전 내가 보면 안 믿을 정도…. 그래도 일시정지가 길어지는 것 같으면 조급함이 생긴다. 항상 조급함이 뱁새 가랑이 찢기듯 벅차다. 그러니 빨리감기 하지말자. 성과주의 입장에서 보면 너무 더딘 내가 아무것도 이룬 게 없다고 생각할 것이다. 그러나 과정주의인간인 나는 이 또한 즐기며 살아가려한다. 사람이 너무 과거를 바라보고 살면 우울해지고 너무 미래만 보고 살면 불안해지며 현재를 중심으로 보고 사는 사람이 행복하다고 했다. 과거와 미래를 지독히 보고서는 나는 이제 이게 무슨 뜻인지 이해한다.

목표는 미래에도 있지만 내 궁극적 목적은 행복이니 만큼 감정 하나 하나 놓치지 않고 다 느끼고 살아갈 것이다.

요즘은 가만히 있다가도 지금 순간의 나를 인지하면 미소가 지어진다. 행복한 미소다.

그 순간 느껴지는 게 햇살이 됐건 밤바람이 됐건 '살아있음'을 인지하면 그저 감사하다.

힘들고 바빠서 웃음을 잃을 것 같을 때에도 나는 더 성장할 거고 더 나은 모습이 되어서 이때는 그저 지나간 기억 한 조각에 불과할 거라고 생각하면 털어버릴 수 있게 됐다.

내 자신은 절.대 달라지지 않을 거라 단언했던 날들이 있었다.

예측 가능한 내 미래가 형편없어 기대할 수 없던 내가 이제는 앞으로 어떻게 더, 얼마나 더 성장해서 어떤 사람이 될지 내가 정할 수 있는 미래가 정말 기대되어서 행복하다.

태어나서 한 번도 이렇게 생각해 본 적이 없는데 정말 감사하고 신기하다.

그것이 아주 멀리 돌아가고 천천히 나아갈지라도 이제는 상관없다. 오히려 천천히 그 과정을 다 즐기며 나아가고 싶다. 항상 귀감이 되어주고 긍정적 환경이 되어주는 나의 사람들에게 이 감사를 돌린다,

여섯 번째 작가, 김새운

Instagram: @_sae.woon

글자들이 속삭이는 행간에서 잠시 누워 숨을 쉽니다.

비슷한 경험들 끝에 도달하는 모두 다른 종착지들을 그려봅니다. 어디에 도착하든지 우리가 우리로 남아있기를

파란색

다섯 살, 아니면 그보다 더 어릴 적이었는지도 모른다.

나는 내가 파란색을 좋아한다고 생각했다.

정확히 말하자면, 그렇다고 믿었다.

한 살 터울인 언니가 있다.

"연년생이에요? 많이 싸우겠어요."라는 말이 종종 남들의 인사치레인, 연년생 자매는 정말로 많이 싸우기도 했다. 어린 시절 내 눈에 엄마는 우리가 싸우는 걸 가장 싫어하는 것처럼 보였다. 그래서 우리 자매의 암묵적 룰은, 엄마가 보는 눈앞에서는 싸우지 않는 것이었다. 그리고 어릴 적 내가 가장 무서워했던 건, 아니 아마도 지금도 가장 무서워하는 것은 엄마가 속상해하는 것이다.

엄마는 이혼 후 우리 둘을 어떻게든 키워야 했다. 지금 내 나이보다 어렸던 이십 대 여성으로서 그건 꽤나 벅찬 일이었을 터다. 엄마가 전화기를 붙잡고 울던 새벽을 목격한 게 몇 살인지 기억나지 않지만, 나는 그게 전부 내 탓처럼 느껴지곤 했었다.

다시 파란색으로 돌아와서, 엄마는 종종 옷이나 장난감, 물건, 신발 같은 것들 두 개(대개 분홍색과 파란색)를 사 와서 고르라 하곤 했다. 언닌 고르라는 말이 떨어지기도 전에

"나 분홍색!"을 외치던 아이였다.

내가 할 수 있는 건 뭐였을까. 분홍색을 고르고 언니와 다투기? 그걸 지켜보는 엄마를 속상하게 만들기? 그

것보다 쉬웠던 건 그냥 파란색을 고르는 거였다. 그리곤 '나는 파란색이 더 좋아'하고 마음속으로 되뇌는 것.

스무 살쯤 내가 옷을 골라 사 입으면서 나는 내가 고른 옷이 가득한 옷장을 보며 문득 생각했다. 나는 파란색을 좋아하지 않는 거였다. 그저 그편이 모두에게 좋으니까, 나를 제외한 모두에게 평안을 가져다주니까 그렇게 믿었던 거였다.

그걸 깨닫고 유달리 분홍색 화사한 옷들을 그러모으던 시기가 있었다. 흰색 노란색 보라색 옷들을 집착하듯 사 모으던 기억. 이제는 파란색도 종종 즐겨 입지만, 나는 어느 날 어린 날의 내가 불쌍해져서 뜬금없이 엄마에게 고백했다.

엄마, 나 사실은 파란색 좋아하지 않았어.

지금의 나는 내가 원하는 옷이라면 무슨 색이든 사 입는 '맥시멀리스트'가 되었다. 옷장을 열어보면 화사한 색과 패턴이 가득하다. 유행하는 '퍼스널 컬러' 진단 같은 건 받아볼 생각이 없다. 내가 옷을 고르는 데 제약이 생기는 건 싫으니까. 그건 이미 충분히 겪었다. 얼굴이 환해지든 어두워지든 내 마음이 밝아지는 것만으로 옷은 쓸모를 다 한 셈이다.

그래도 가끔 파란색 옷과 신발들을 보면 아주 작고 여린 아이가 생각난다. 나는 파란색을 좋아하는 거라고 되뇌면서 눈물이 그렁그렁 가득 찬 눈을 더 크게 뜨고 바람에 말리면서. 들키지 않을까 괜히 여러 번 재채기해서 코를 훔치고 빨개진 코에 핑곗거리를 붙여주면서.

나에게조차 거짓말을 하는 삶이 내 기억보다 오래되었다면 어디서부터 거슬러 올라가야 할까. 어떤 말을 해주어야 내 안의 작은 아이를 위로해줄 수 있을까. 그렇게 해서 영영 떠나보내줄 수 있을까. 오래도록 파란색에 잠겨있는 아이를 구해주는 방법을 아직도 나는 찾는 중이다.

너무 오래전에 숨겨둬서 더 이상 찾아낼 수 없는 보물찾기 쪽지. 문제를 해결해줄 마법 같은 주문이 쓰여 있기를.

불면

잠이 오지 않는 밤이 얼마나 지난한지, 겪어본 사람들이라면 모두 알고 있다. 생각이 생각을 불러일으키고 우울이 나를 집어삼키기 전에 잠에 들어야만 하기 때문에, 나는 오늘도 약을 입에 털어 넣고 TV를 켜놓은 채 눈을 감는다. 생각이 침투할 공간을 좁히고 또 좁혀야만 잠에 들 수 있다.

약을 먹어보기 전까지는, 수면제를 먹으면 눈 깜빡할 새 잠이 들 줄 알았다. 아쉽게도 이 약은, 내게만 그런지는 모르겠지만 그런 마법의 물약 같은 게 아니었다.

불안의 정도가 심해지는 날이면 약을 먹어도 두세 시간 쯤 깨어있기 일쑤였다. 내일이 찾아오는 건 언제나 두렵고, 이 밤이 영원했으면 좋겠다가도 잠이 들지 못하는 밤 안에 내내 갇혀버린다면 그건 지옥일지도 모르겠다고 생각한다. 그래도 약효가 있기는 하다는 걸 깨달았던 건, 수면제 없이는 잠을 아예 잘 수 없었던 밤을 지나 보낸 다음이었다.

처음에는 약을 먹는 것 자체를 꺼렸다. 불면이 가장 심했던 당시에는 죽고 싶다는 생각이 매분 매초 온몸을 지배하던 때라, 일주일 치 수면제가 내 손에 있으면 왠지 안 될 것 같았다. 언제든 약을 모아 다 털어 넣을지도 모른다고 생각했기 때문에. 의사 선생님과 상담을 통해 위험도가 적은 약을 투약하기로 했고 스스로도 그때보다는 나아진 상태라서 그나마 하루에 4~5시간 수면을 유지하고 있다.

일정한 수면 패턴을 유지하는 게 얼마나 축복 가득한 일인지를, 그것이 유지되는 동안에는 절절히 느끼지 못하는 것 같다. 카페인을 아무리 때려 부어도 잠만 잘 자던 때가 있었다. 어느 바닥에든 머리만 대면 스르륵 잠에 빠지고 알람이 울리면 피곤하지만 눈을 비벼 뜨던. 약을 먹기 시작한 이후로는 카페인을 거의 끊었다. 커피는 죄다 디카페인으로, 마시더라도 홍차나 밀크티를 오후 2시 이전에 마시려고 노력한다.

지금은 그렇게나 노력해도, 폭신한 베개에 토퍼까지 깔고 온종일 몸을 피곤하게 바깥으로 뺑뺑 돌려서 기력이 다 쇠한 몸을 눕혀도 눈은 멀쩡게 떠 있다. 초점을 잡는 법을 잊어버린 카메라처럼 모든 게 포커싱 아웃이다. 그런데도 감길 줄을 모르는 눈은 흔히들 말하는 ASMR도 소용이 없더라. 종종 수면제를 먹는다고 하면 사람들은 약이 아니라 생활 습관을 바꿔야 한다고, 운동하고 명상하고 비워내라고. 진짜 미안한데 이 병은 그럴 힘이 없는 병이다. 그럴 수 있었으면 병원에 안 갔을 텐데요. 생각해보니까 별로 안 미안한 마음이 든다. 그 생각을 저라고 안 해봤을까요. 다른 사람의 삶에 말 얹는 일은 언제나 쉽다.

시간이란 건 지겹게도 규칙적으로, 인간의 삶과는 관계없이 돌아간다. 시곗바늘을 원망해본 사람들을 떠올린다. 해가 떴으니 오늘은 나도 환한 사람이 될 수 있을 거야[1], 하는 문장을 좋아하던 나는 어디로 사라졌

---

1) 신해욱, 「굿모닝」, 『생물성』, 문학과지성사(2009) 중 일부 인용

을까. 이제는 떠오르는 해도 무섭고 나를 집어삼키는 밤도 무서워 오갈 데 없는 신세가 됐다. 시간의 틈새로 들어가 죽은 듯 잠을 자고 싶다. 아무도 나를 찾지 말아 주기를, 모두 나 없이 행복하기를. 거짓말일지도 모르지만 매일 매일 기도한다. 지겨운 아침 햇볕이 희망을 말려 죽이는 아침에.

일곱 번째 작가, 조현진

Instagram: @hi_you_story

인생을 돌아보면, 우리의 모든 순간은 버릴 것이 하나도 없습니다. 일상 속에서 찾은 행복들을 기억하고 싶어 글로 기록하기 시작했습니다. 평범하지만 특별하게 다가오는 내 인생의 모든 순간들. 저의 평범한 기록이 누군가에게 공감과 감동으로 다가가길 바랍니다.

사이좋은 부부 사이.

나는 남편과 연애 4년과 9년간의 결혼생활을 합쳐 14년째 알콩달콩 재미있게 살고 있다. 그동안 2명이던 가족은 5명이 되었고, 육아가 힘들고 지치지만, 아이들 때문에 행복한 게 더 크다는 이야기를 나누며 매일을 즐겁게 살아간다.

주변에서 우리 부부를 보면 신기해하는 점이 있다. 결혼한 지 10년이 다 되어가는데, 사이가 좋고 편안해 보인다는 것이다. 사실 우리는 특별한 게 없다고 생각했다. 그래도 다른 사람들이 자꾸 그렇게 이야기하니, 어느 날은 그 점에 대해서 대화를 나누게 되었다.

"우리가 사이가 좋은가? 맞아. 우리가 좀 안 싸우긴 하지. 자기는 비결이 뭐라고 생각해?"

"내 생각엔 둘 중에 한 명이 화가 났거나 기분이 나쁠 때, 다른 한 명이 같이 화를 내지는 않아. 솔직히 내가 욱하기도 하는데, 그때 자기가 그냥 이해해 줘. 그러면 나도 욱했던 게 사그라들더라고. 만약 자기가 같이 욱하면 우리도 남들처럼 싸웠겠지."

남편의 이야기에 곰곰이 생각해 보니, 내가 그랬던 것 같기는 했다. 그런데 내가 그렇게 행동했던 건 이런 이유였다.

"사실 나는 자기가 평소에 나한테 잘해서 그 정도는 이해가 됐어. 내가 부족한 부분이 많은데 자기도 그 점에 대해 나한테 비난하거나 화낸 적이 한 번도 없잖아. 그럴 때 솔직히 되게 고맙거든. 내가 표현은 못하지만 말이야. 그래서 자기가 욱해도 그 전에 했던 자기의 행동들로 상쇄가 돼."

이야기를 나누면서 든 생각은 서로가 서로의 행동을 비난하지 않고 있는 그대로 받아준다는 것이었다. 싸우지 않는 결혼생활의 비결을 누가 묻는다면, 서로 비난하지 않는다는 것이다. 남편은 누군가에게 나의 험담을 한 번도 한 적이 없다. 그건 나도 마찬가지다. 내 가족은 욕하는 건 내 얼굴에 침 뱉기 아닌가. 다른 사람에게 내 남편 아내의 좋은 점만 이야기하다 보면, 실제로 그렇게 보이기도 한다.

아이를 믿어주는 어른의 말이 가진 힘.

유명한 그림책 중에 [에드와르도 세상에서 가장 못된 아이, 존 버닝햄]라는 그림책이 있다. 이 책의 주인공 에드와르도는 우리 주변에서 흔히 볼 수 있는 남자아이이다. 가끔 물건을 걷어차기도 하고, 어린아이들을 괴롭히기도 하며 방을 잘 정리하지 못하는 그런 녀석이다. 아이는 주변 어른들에게 말썽꾸러기, 심술쟁이, 더러운 녀석이라는 이야기를 듣게 된다. 그리고 아이는 점점 더 그런 아이가 되어간다.

어느 날 에드와르도는 화분을 발로 찼는데 자신에게 화를 내기는커녕 정원을 가꾸어보라는 어른을 만나게 된다. 그 뒤로 만나는 어른들은 에드와르도가 잘못을 하더라도 칭찬으로 바꾸어 이야기 해 준다. 아이는 그런 칭찬과 격려를 받으며, 점점 더 사랑스러운 아이가 되어간다.

내가 유치원 교사를 할 때, 아이가 기관에서 문제행동을 많이 해서 걱정이라는 학부모를 만난 적이 많이 있다. 아이를 유치원에 입학시키면서 걱정을 많이 하시는데, 내가 만난 아이들의 대부분은 유치원을 졸업할 때쯤엔 '멋진 어린이'로 성장했다.

우리의 비법은 아이에 대한 믿음이었다. 그 아이의 멋진 모습을 자꾸 말로 이야기 해 주는 것이었다. 학급에서 힘든 아이가 있으면 그 반 선생님을 일부러 다른 선생님들에게 알렸다.

"우리 반의 OOO요. 복도나 화장실에서 만나면 칭찬 좀 해 주세요." 라고 말이다.

그러면 선생님들은 합심해서 노력한다. 10명의 선생님들이 있었는데, 최소 하루에 10번 그 아이는 칭찬을 받게 된다.

"어머, 네가 OO이구나. 너희 반 선생님이 OO이 멋지다고 이야기하셨는데. 역시 줄도 잘 서도 멋진 친구구나."

대략 이런 류의 칭찬을 계속 듣다 보면 아이도 잘못된

행동을 하지 않고 멋진 어린이의 모습을 하려고 무의식 중에 노력한다. 그리고 원래 그랬던 것처럼 멋진 아이로 성장한다. 아이를 믿어주는 어른의 말. 그 말은 아이의 인생을 바꿀 만큼 힘이 크다.

여덟 번째 작가, 이영진

Instagram: @lyzmagicacademy

인생을 살며 한 번도 나의 이야기를 써보지 못한
그저 읽지도 쓰지도 않은 평생을 살며
인생의 반 이상을 마술이라는 한 장르에만
몰두한 똑똑하지 못한 마술사입니다.

이번 기회를 빌어 내가 사랑하는 사람들과 함께 소소하게 이야기 나눌 추억이 되길 바랍니다.

내가 사랑하는 모든 이 들이 행복하길 기도하며.

에세이 1

“할미, 지금 제일 먹고 싶은 음식이 뭐야?”

나를 보며 밝게 웃어주던 어머니,
나에게 무슨 일이 있어도 항상 뒤에서 지켜주던 아버지, 4살의 꼬맹이에겐 단 한사람, 우리 할머니였다.

4살의 꼬맹이가 할머니에게 묻는다.
“할머니, 내 다리 봐봐. 왜 하나는 작고 하나는 커?”
그 말을 들은 할머니는 대수롭지 않게 꼬맹이에게 온다.

"어디 봐봐, 에이 아무렇지도 않구먼."

"할머니 잘 봐봐! 여기는 크고 여기는 작잖아!"

할머니는 자세히 보더니 꼬맹이에게 한마디 하셨다.

"그러니까 제대로 처먹으라니까!"

먹을 게 없어 심한 영양실조에 걸린 꼬맹이는 할머니의 역정에 너무 놀라 울음을 터뜨리고 만다.

그때는 몰랐지만 지금에 와서 기억한다.

할머니는 손주를 등지시고 고개를 숙이시며 눈물을 닦아 내셨고 그 순간 방안의 분위기가 숙연해 졌다.

꼬맹이는 7살이 되어 어느 날 할머니에게 노래를 불렀다.

"우리 이쁜 할머니~ 할머니는 착하니까 짜장면을 사주겠지?"

여느 때와 같이 할머니는 같은 말씀을 하신다.

"돈 없어."

그러곤 약간 고민을 하시더니 한숨을 푹 내쉬며 할머니께서 한 번 더 말씀하셨다.

"할미랑 시장가서 장본 거 들어주면 짜장면 사줄게."

7살의 꼬맹이는 콧노래를 부르며 할머니의 손을 잡고 중국집에 들어간다.

"여기 짜장면 한 그릇만 주세요."
"두 사람인데 한 그릇만 시켜요?"
"예 저는 밥을 먹고 왔어요."
주방장은 의아하며 주방으로 들어간다.
"할머니, 할머니도 밥 안 먹었잖아."
할머니는 주변을 두리번거리셨다.

"할미 너 몰래 집에서 먹었어. 그리고 할머니는 짜장면 느끼해서 못 먹겠어. 이 느끼한 걸 왜 먹는지 모르겠어. 몸에 좋지도 않은 걸 뭐하러 먹어"

의미도 모르는 꼬맹이는 이야기 한다.
"할머니 나랑 같이 있었잖아! 아무것도 안 먹었어! 할머니는!"
"이 노무 새끼야 조용히 해!"
정적이 감돈 분위기 속 식탁 위에는 주방장의 양 손과 짜장면 두 그릇이 올라왔다.
"면이 남아서 하나 더 했어요, 맛있게 드세요."

에세이 2

중학생이 된 꼬맹이의 집은 말로 표현 못할 수많은 박스와 플라스틱, 고철이 가득했다. 비좁은 집에 쓰레기까지 가득하니 사람이 사는 곳이라곤 보여지지 않았다.

“할머니! 진짜 못 살겠어, 이 노무 고철 그만 좀 모아 먼지 때문에 못 살겠어!”

“할미가 아파서 박스 들고 고물상 못가, 니가 가져가서 고물 좀 팔고 와,”

“무슨 학생이 고물을 팔아! 쪽팔려서 못 살겠어!”

“공부를 해야 학생이지, 넌 학생도 아니여 허허”

화나간 꼬맹이는 밖에 나가 씩씩거리며 동네를 한참 걸었고 결국 멈춘 곳은 고물상 이었다.

"사장님, 리어카 좀 빌려주세요..."

집에 들러 고물을 싣고 고물상으로 가던 꼬맹이는 내리막길을 내려가다 무게를 이기지 못해 리어카에 깔렸고, 너덜해진 옷과 몸을 끌고 집에 돌아와, 구겨지고 피 묻은 꼬맹이 손안의 8,300원을 보며 할머니는 눈시울을 붉히셨다.

지금 현재의 꼬맹이는 가끔씩 할머니에게 찾아간다.

"할미 나왔어."

"니가 누구여."

"누구긴 누구여, 제일 사랑하는 영진이지."

"아 영진이여? 할미는 암것두 안보여 허허"

나는 할머니 얼굴에 내 미소를 가까이 댄다.

그러곤 두 손을 잡고 할머니에게 묻는다.

"할미, 지금 제일 먹고 싶은 음식이 뭐야?"

할머니의 대답을 듣고 나는 마음속으로 엉엉 울었다.

"짜장면..."

"할머니, 진짜 진짜 사랑해"

나는 마술의 3원칙을 내 인생의 좌우명으로 삼고 있다.

마술사 하워드 서스톤 3원칙

1. 마술의 비밀을 밝히지 마라.
2. 결과에 대하여 이야기 하지 마라.
3. 마술을 두 번 이상 보여주지 마라.

마술의 3원칙은 마술에서의 지켜야 할 사항이지만 나는 우리내 삶을 빗대어 큰 교훈을 준다 생각한다.

1. 어떠한 일이 있어도 나의 비밀, 치부는 이야기 하지 않는다.
2. 남에게 조언을 할 때엔 선부르게 확정을 지어 이야기 하지 않는다.
3. 괜찮은 제안도 두 번 이상 하지 않는다. 항상 새로운 모습을 남들에게 보이려 노력한다.

짧다면 짧은, 길다면 긴, 무식하게 고집 부리며 살았던 나의 마술인생, 한 가지 직업으로 오랫동안 살아온 나의 유년시절 이야기가 여러분들 옷깃에 스치듯 지나가는 낙엽과도 같길 바래봅니다.

아홉 번째 작가, 김산비

Instagram: @attract__b

가장 빛나기 위해 가장 어두운 지금의 저를 남겨보고자 합니다.

수많은 어둠과 빛이 존재했던 인생 속에서 가장 길고, 가장 어두운 터널을 만난 지금의 제가 터널 끝을 향해 나아가는 과정 속 작은 일부분을 남깁니다. 제가 쓴 이 짧은 글이 언젠가 존재할 터널 끝의 저와 이 글을 읽게 될 현재의 여러분들에게도 또 다른 시선과 마음이 허락되는, 또 잠깐은 미소 지을 수 있는 글이 되길 바랍니다.

나 1

보통의 사람은 나를 알아가는 행위에 대하여 매우 게으르다고 한다.

시험을 준비하던 나는 악재가 겹치면서 나의 의지와 상관없이 시험을 포기하게 되는 상황이 생겼고, 아주 캄캄하고 긴 터널을 마주하게 되었다. 그저 이 길을 무섭고 힘들게만 걸어가기에는 나의 젊음과 이순간이 너무 아까워서 평소 여러 일들에 치여 미뤄두었던 나와의 깊은 교제에 도전하기로 마음먹었다.

나를 알아가는 것에는 여러 부분이 있을 것이다. 예를 들면 좋아하는 것과 잘하는 것 또는 내가 가치를 두는 부분과 가치를 두지 않는 부분 같은 거 말이다.

우선 나는 끈기가 없고 변덕이 심해서 부분을 정하지 않고 그냥 나라는 '사람' 에 대해 알아가 보기로 했다.

내가 가장 좋아하고 애정 하는 나는 어느 시절의 나일까 생각해보니 아주 어리고 작았던 내 모습이 떠올랐다. 어렸을 적 나는 매우 활발하고 쾌활했던 것으로 기억된다. 장난꾸러기에 인사성이 밝고 순수하기만 했다. 물론 엄마의 영향이 매우 크다. 남들은 영재학원이다 뭐다 할 때 나는 미술학원을 다니며 매일 알 수도 없는 그림 그리거나 엄마가 집에서 학습지를 받아 창의력 학습을 했었다. 어려서부터 철저하게 초등학교 과정을 준비하는 친구들이 많았지만 나는 기초 초등교육은 초등학교 들어가고 나서 엄마가 a4용지에 적어주는 문제를 풀어 보는 것이 전부였다.

엄마가 유독 특별히 신경 쓰는 시험이 있었는데 받아쓰기였다. 덕분에 나는 1년 동안 딱 한 문제 틀렸는데 그것도 엄마가 잘 못 보고 알려줘서 틀린 것이다. 뭐다 떠나서 우리엄마는 밖에서 시끄럽게 떠들거나 뛰어다니면 그렇게 혼을 냈다. 뿐만 아니라, 어디를 가서 누군가를 만났을 때 인사하지 않으면 무조건 인사를 시키고 늘 인사의 중요성에 대해 강조했다.

엄마는 잘못된 행동이 아니라면 늘 예쁘다 잘 한다 못해도 괜찮다 위로 하고 사랑해주셨다. 물론 다른 엄마들의 교육방식이 잘못되었다 말하는 것이 아니다. 그저 사람이 먼저 되어라 교육했던 엄마의 교육가치관 영향덕분에 어렸을 적 나는 그저 밝게 뛰놀고 순수했던 기억으로 온통 가득한 그 때가 가장 좋다고 말하고 싶다.

지금의 내가 바라는 '나' 에 대해서도 생각해 보았다. 내가 바라는 나는 지금의 자녀로서 미래의 가정에 아내 그리고 엄마로서 잘 해내는 내가 되고 싶다. 직장이나 가정 어느 하나에 헌신하는 삶이 아니다. 물론 완벽하진 않겠지만 내가 가진 역할들에 충실 하고 싶다는 뜻이다. 굳이 많은 역할들 중 하나를 선택해야 한다면 아마 엄마를 고를 것이다. 뭐 좋은 직장을 다니고 돈을 아주 많이 버는 엄마도 당연히 좋겠지만 가정환경과 상관없이 늘 나를 이해해주고 존중해주고 또 사랑해주는 사람이 있다는 사실만으로 내 삶은 복 받았다라고 생각할 수 있을 만큼 좋은 엄마가 되고 싶다. 마치 우리 엄마처럼 말이다. 이쯤 되면 아빠는 없나? 생각이 들 수 있는데 아빠한테도 무진장 사랑받고 컸다. 아! 지금도 현재 진행형이다. (엄마 아빠 사랑해!)

다만 엄마와 아빠는 사랑의 방식이 다르고 내가 주고

싶은 사랑은 엄마의 사랑이기에 엄마만 언급이 되는 것일 뿐이다. (아빠미안)

내가 바라는 내가 되려면 지금의 나 스스로를 먼저 사랑하고 아낄 줄 알아야 한다고 결론 내렸고, 모두가 사랑하는 방법이 다르듯이 나도 나를 사랑하는 나만의 방법을 연구 중에 있다.

아참 채원아(여동생) 건하야(남동생) 너네도 정말 많이 사랑해!

뜬금없지만 갑자기 적고 싶었다. 에세이는 정해진 형식 없이 내 생각을 써내려 가는 글이니까 말이다.

급히 이 문단의 끝을 내보자면 내가 바라는 나는 지금의 내가 살아가는 존재 이유가 되어주기도 한다. 요즘 터널을 만나고 난 후로 내가 살아가는 이유가 뭘까? 깊게 고민하게 되었는데 조금은 답을 찾을 수 있었던 좋은 self 교제 시간이었다.

마지막으로 지금의 나.

어, 음 지금의 나는 실패딱지를 덕지덕지 붙이고 돌아다니는 인물 같다.

가족을 제외하고 가장 사랑했던 사람에게 큰 상처를 받기도 하고 반복된 상처에 회복되지 않는 흉터가 잔잔한 일상에 크게 남아버렸다.

덧니도 없는데 점점 심해지는 부정교합 치료를 위해 교정을 하느라 툭 튀어나온 입도 너무 싫다. 또 무기력하게 누워 각종 어플을 껐다 켰다 순회하며 낄낄 거리는 내 모습이 너무 한심하기도 하다.

밖에선 아무렇지 않은 척 잘 살아가다가도 해결할 수 없는 많은 문제들을 마주한 현실 속에서 눈물도 나지 않을 만큼 답답함과 아픔들이 무뎌진 내가 안타까워 미쳐버릴 때도 있다. 종교가 있지만 나약한 모습으로 매번 무너질 때마다 내가 너무 미워지기도 한다. 그래도 뭘 어쩔 수 없지.

가장 사랑했던 사람에게 받는 상처 대신 나를 가장 사랑해주는 사람과 큰 사랑을 주고받게 될 날을 기대하고 불편한 교정을 거쳐 음식을 먹을 때 턱관절이 아프지 않고 맛있게 먹는 날을 기대하면 된다.

무기력하게 쉬기만 한 덕분에 그래도 일하며 쌓인 피곤과 스트레스는 날아갔고 새 일을 시작할 수 있는 새로운 힘을 얻었다.

많은 어플 순회는 내가 혼자 짧은 시간동안 웃을 수 있는 수단 중 하나가 되었을 뿐이고 안타까워 미칠게 아니라 그냥 이 시간이 잘 지나가도록 나를 스스로 잘 다독이면 된다. 나약함을 채찍질 하지 않고 반성함으로 강함을 구하면 되는 것이다. 지금의 나는 이런 사람이

다.

미움과 사랑을 반복하며 성장하고 다듬어지는 뭐 그런? 음 한 문장으로 정리하고 싶은데 뭐라고 표현하는 것이 가장 적절할까? 아 ! 그래, 지금의 나는 마치 갓 태어난 기린 같다.

짧은 글로 표현하자니 다 담지 못한 만큼 더 다양하고 깊은 교제의 시간이 있었다. 또 현재 진행형이다.

앞으로도 멈추지 않을 거고 조금씩 꾸준히 나를 알아가는 행위를 게을리 하지 않을 것이다.

지금 이 글을 읽고 있는 스스로에게 질문해 보았으면 좋겠다.

나는 나를 얼마나 잘 아는가?

나는 나를 얼마나 사랑하는가?

나는 나를 사랑하는 적절한 방법을 알고 있는가?

또한 잘 실천하고 있는가?

나의 짧은 글을 통해 잠시나마 본인을 돌보고 보듬어주는 시간을 가져볼 수 있길 또 그 시간이 의미 있는 시간이 되길 바라본다.

나 2

이번에 쓸 내용은 정말 나에 대한 과한 정보들을 모아둔 내용이다.

우선 나는 인복이 많은 사람이다. 힘이 들 때 언제든지 믿고 털어둘 수 있는 가족과 친척들이 있다. 또 힘들 때 거창한 말이나 듣기 좋은 말로 위로하는 척 하는 사람이 아닌 그냥 굶지 않도록 같이 밥을 먹어주고 혼자 잡생각 하진 않을까 전화를 걸어주는 (아 물론 본인이 심심해서 먼저 거는 것이 더 큼) 친구와 대학교 OT부터 지금 까지도 변함없이 서로의 친구로서 아주 잘 맞는 친구도 있다. 아무 생각 없이 그저 신나게 놀

아주다가도 내 얘기에 귀 기울여 듣고 "직장에서 만나면 친구가 될 수 없다." 라는 내 편견을 깬 전 직장친구들도 있으며, 극소수 이지만 나의 아픔을 알고 함께 기도하고 걸어주는 믿음의 공동체 구성원들도 있다. 끝이 아니다. 함께 재미를 나누고 서로의 학창시절부터 현재까지 흑역사를 공유했지만 그 누구도 발설하지 않고 그저 우리의 개그소재로 사용하는 서로 웃기고 싶어 안달이 난 고향 친구들도 있다.

뜬금없지만 이 글을 통해 내 주변 많은 소중한 귀인들에게 감사를 표한다.

내 가족이 내 친구가 되어주어서 정말 아주 많이 감사 합니다 ! (자랑처럼 느껴졌는가? 나의 학창시절 얘기를 들으면 지금 내가 인복이 감사하다는 말이 신기하게 느껴질 것이다. 하지만 다른 얘기를 쓰고 싶기 때문에 기회가 된다면 이 얘기는 다음에 풀도록 하겠다.)

두 번째로 나는 인생에서 크게 두 가지 별명이 있는데, 하나는 '깜비' 또 하나는 '금쪽이' 이다.

뭐 사실 둘 다 마음에 든다. 둘 다 탄생설화가 있는데 궁금하면 DM보내라. 시간 날 때 답변해 주겠다.

(아 혹시 반말이 기분 나쁜가?요 컨셉이니까 양해 부탁한다. 이제 와서 반말타령 하는 것은 뭐지? 새삼스럽

다.)

세 번째 나는 원래 인간과 편견이라는 주제로 글을 썼었는데 나와 다른 가치관을 가진 사람이 있을 수 있고 불편할 수 있을 거라 생각해서 제출 3일 전에 2주 동안 쓴 글을 지우고 새로 쓰는 중이다.

물론 필요한 일정 외에 이거에만 매달리는 중. 절대 대충 쓰지 않았다.

네 번째 나는 정이 많지만 정이 없다. 감정적이지만 이성적이다. 대화할 때 웃긴 편이지만 재미없는 편이다. 똑똑하지만 바보 같다. 헌신적이지만 이기적이다. 잘 모르겠다고? 겪어보면 알게 된다.

다섯 번째로 이번엔 여러분들에 대한 얘기로 시작할 건데, 아마 보통은 처음 글을 읽을 때 아~ 하다가 점점 이게 뭐지? 라는 생각이 들었을 것이다. 그 생각은 머지않아 진짜 어쩌라는 거지라는 생각으로 바뀌었을 것이고 내가 이걸 돈을 주고 사서 본건가? 라는 생각까지도 들었겠지만 그럼에도 불구하고 여러분은 나의 글을 끝까지 다 읽었다.

이제 진짜 시작이다. 여러분은 이 이상한 글을 쓰는 나에 대해 많은 것을 아는 사람이 되었고, 이상하게 내 적친분이 업그레이드되어 버렸을 것이다. 이상하지만 귀여운 거 같기도 하고 이상하지만 사랑스러운 거 같기도 한데 귀찮으면서도 괜찮은 거 같은 매력을 느끼게 되는 이때쯤이면 여러분도 다섯 번째를 눈치 챘을 것이다. 정답이다. 여러분이 지금 생각 하는 그 문장. 그게 다섯 번째 TMI다.

여러분은 똑똑하니까 아마 알고 있었겠지만, 여러분과의 교제를 시도했다.(매우 일방적임) 이제 여러분도 스스로를 탐색하고 나에게 알려줄 차례다. 아무리 사람을 좋아한다고 해도 요즘 시대는 타인을 알아가는 것이 귀찮고 나하나 챙기기도 버거운 시대라고 한다.

이 짧은 글을 통해 현 시대의 안타까운 현상을 극복한 멋진 여러분으로 거듭났다. 자 이제 DM도 좋고 메일도 좋다. 나에게 여러분을 알려줄 차례다. TMI 대결이다.(아 이건 농담이다)

이상하고 어지러운 글을 읽어주어서 매우 고맙습니다. 2기 때는 더 솔직하고 더 재밌게 더 의미 있게 쓰려고 하는데, 또 읽어 주실 거죠? 그럼 올 한 해도 잘 마무리하시고 내년에는 있는 복 없는 복 다 끌어서 받으시길 바랍니다. 안녕

열 번째 작가, 뽀뽀리

Instagram: @lovelybbohee

내가 바라보고 있는 그것이 존재 그 자체로 바라볼 수 있기를 바랍니다. 아이처럼 맑고, 강아지처럼 말고, 세상의 편견으로부터 막고, 있는 모습 그대로를 담아내서 맛있는 풍미를 느끼는 글이 되길, 배부른 한 끼 식사가 되길, 영원히 목마르지 않는 물이 되길 소망합니다.

나는 11살에 죽습니다.

1998년. 9살의 어린 소녀는 11살에 죽는다는 것을 알아버렸습니다.

온몸이 구운 오징어처럼 웅크려지는 찬 바람이 불던 어느 날 저녁. 감기가 좀처럼 떨어지지 않는다고 느끼던 어린 소녀는 코가 꽉 막혀 입으로 숨을 쉬며 엄마와 '엄마의 엄마'에 대해 이야기를 나누고 있었습니다.

"엄마! 할머니는 언제 돌아가셨어요?"

식탁 의자에 그네를 타듯 걸터앉아 문득 궁금해진 할머니의 이야기를 물어보았습니다. 소녀의 옆에 나란히 앉은 엄마는 곧이어 대답해 주셨습니다.

"엄마의 엄마는 엄마가 결혼하기 전에 돌아가셨어."

"왜요?"

동그란 눈으로 해맑게 물어본 소녀는 자신의 엄마에게 할머니가 어떻게 돌아가셨는지 듣게 됩니다. 소녀는 알았을까요? 이 이야기가 소녀의 인생에 엄청난 변화를 가져다줄 것이라는 걸요.

작고 어린 소녀는 할머니가 11년의 암 투병 이후 돌아가셨다는 사실을 자세히 듣게 되었습니다. 코암으로 돌아가신 할머니는 11년 동안 감기와 같은 증세를 보이고 계셨고, 감기가 좀처럼 떨어지지 않아 늘 코가 꽉 막혀 있으셨고, 콧물이 늘 멈추지 않고 흐르셨다는 것이었습니다. 소녀는 생각합니다.

'나랑... 똑같은 증세네...?'

엄마는 할머니의 훌쩍이는 모습을 따라 해주셨습니다.

훌쩍. 후우우울쩍. 습습.

"엄마의 엄마는 이렇게 감기처럼 고생하시다가 결국 11년째에 돌아가셨어."

소녀는 눈을 빠르게 깜빡이며 천장을 멍하니 바라보고 생각하게 됩니다.

'나... 지금 9살이니까.. 아... 11살에 죽겠구나..'

망치로 맞은 듯한 소녀의 머릿속엔 단 한 가지의 생각만이 가득했습니다.

'내 책상 서랍에 있는 다이어리 속지들과 어렵게 모은 예쁜 볼펜들은 다 어떻게 하지? 한정판 흰색 펜은 내가 아끼고 아끼며 안 썼던 볼펜인데... 예쁜 색종이와 학종이들은 이제 못 보는 건가?'

소녀는 문득 가슴이 시렸습니다. 하지만 왠인지 눈물이 나지는 않았습니다. 오히려 담담해졌습니다.

'그래! 내 동생 줘야겠다!'

소녀에게 제일 먼저 생각난 것은 이 많은 다이어리와 펜들이 내가 없으면 같이 없어질 것 같은 생각이 들었습니다. 항상 예쁜 다이어리와 속지, 펜을 가졌다고 부러워했던 내 동생에게 늘 해 오던 물물교환이 아닌, 그냥 선물해야겠다는 생각이 들었습니다.

그날 밤, 소녀는 자신의 책상 두 번째 서랍에서 아주아주 천천히 다이어리를 꺼내, 천천히 교감하며 작별인사를 건네고 미련 없이 동생에게 다이어리를 선물했습니다.

"소영아! 이거 갖고 싶었지? 이거 너 가져!"

멀뚱멀뚱 바라보던 소녀의 동생은 다이어리와 소녀를 번갈아 가면서 몇 번을 보더니, 이윽고 입가에 미소를 지으며 흔쾌히 다이어리를 받아, 자신의 책상 두 번째 서랍에 넣었습니다.

그제야 소녀의 마음에 그동안의 느껴보지 못했던 아주 묘한 '기쁨'과 형언할 수 없는 '채움'이 느껴졌습니다. 다이어리가 있던 소녀의 책상 두 번째 서랍 안에 더 소중한 무언가가 자리한 것입니다.

'이제 남은 2년 동안 내가 가진 소중한 것을 누군가에게 하루에 하나씩 맡겨야겠어!'

소녀는 자신의 손에서 사라진 다이어리의 여운을 느끼며 동생의 서랍에 들어간 다이어리에게 말했습니다.

'안녕! 잘 부탁해! 더 소중한 곳에서 더 소중한 친구가 되어줘!'

소녀는 그날 밤 꿈을 꿨습니다.

어쩌면 나 잠들어도 행복하겠는걸?

기다림의 찬가

꿈틀꿈틀.

부비적 부비적.

텅 빈 방 안.

어? 분명히 내 옆에 있었는데, 갑자기 사라지고 없어졌다. 갑자기 너무 혼란스럽다. 아! 혹시 장난치는 건가? 숨바꼭질! 저번에도 이렇게 놀았었잖아! 그때 간식까지 먹었었지! 이 방에 가면 있으려나?

흠흠흠 흠흠.

없네. 그래! 저 방이야! 저 방에서 먹었던 것 같아!

흠흠 흠흠흠흠

아... 없네... 아... 또 나갔구나.

하는 수 없이 다시 돌아와 이불 위에 앉아서 속상한 마음 노래로 담아 한 곡조 뽑아 본다.

이어어억. 어어어억. 끼어어억. 끼이이이억.

이 노래에는 나의 마음이 담겨있다. 이 공간에 울려 퍼지도록, 그래서 나중에는 저 멀리 밖에 나가 있는 나의 당신에게 닿을 수 있도록... 그리고 최대한 빨리 만날 수 있길 바라며 멀리 불러본다.

꿈틀꿈틀. 부비적 부비적.

아직 텅 빈 방 안.

아 오늘 늦네. 일어난 김에 물이나 마셔야겠다. 물을 마시는데 갑자기 불현듯 불안감이 엄습해 온다. 설마 안 오는 건 아니겠지? 아닐 거야. 아니고말고. 나를 향해 웃어줬던 그 모습, 나랑 거닐던 공원, 그 풀잎 냄새가 아직도 선명한데? 아 근데 햇빛이 너무 따사로워. 너무 좋다. 눈이 부시게 아름답다.

이어어억. 어어어억. 끼어어억. 끼이이이억.

저 멀리 닿을 수 있게 소리 높여 한 곡조 또 뽑아 본다.

밥은 잘 챙겨 먹고 있으려나? 아니, 그런데 돌아오는 길을 잘 찾을 수 있을까? 그곳까지 닿도록 더 크게 불러본다.

꿈틀꿈틀. 부비적 부비적.

어?

삐삐삐삐.

드디어! 와! 드디어 왔다. 드디어 왔어! 정말이야! 오늘 어땠어요? 행복했어요? 나는 오늘 내내 당신만을 기다렸지만, 너무 행복했어요. 당신의 생각을 내내 하면서 당신이 안전하게 집으로 돌아오길 기도했어요. 오늘은 뭐를 먹었나요? 사람들을 많이 만났나요? 나는 오늘 여기에서 당신 생각하다가 잠들었다가 저기에서 당신 생각을 하다가 잠이 들었어요.

내 노래 들었어요? 내가 당신을 위해 노래를 했어요. 내 기도 들었어요? 내가 당신을 위해 기도를 했어요. 빨리 오게 해달라고, 그리고 건강히 오게 해달라고, 나를 보고 '잘했다. 충성된 나의 뽀뽀야.'라고 칭찬받고 싶었어요. 때로는 조금 무서울 때도 사실 있었어요. 하지만 이건 비밀로 할래요. 성숙해지려면 이 정도는 감내하는 거죠? 이제 됐어요.

이 공간에 함께하니 그걸로 충분해요. 당신의 무릎 위로 올라가 턱을 괴고 휴식을 취할래요.

흠흠. 흐으으음.

여기 천국 맞죠?